Gach Dath Faoin Spéir

Scríofa ag Jennifer Moore-Mallinos

Maisithe ag Marta Fàbrega

Leagan Gaeilge le Tadhg Mac Dhonnagáin

Futa Fata

Tá an domhan seo go hálainn. Tá sé lán de dhathanna éagsúla. Tá gach aon dath acu difriúil óna chéile. Agus nuair a chuirtear le chéile iad, tá siad níos deise fós. Ar nós tuar ceatha sa spéir.

Nuair a thagann daoine ó gach taobh den domhan le chéile, feiceann tú na dathanna éagsúla atá orthu, iad chomh hálainn le dathanna an tuar ceatha!

Breathnaíonn daoine difriúil óna chéile ar an taobh amuigh. Ach taobh istigh, is mar a chéile muid. Is iomaí dath difriúil atá ar chraiceann daoine.

Cuid againn, tá craiceann dorcha againn.
Cuid eile againn, tá craiceann geal againn.
Cuid againn, éiríonn ár gcraiceann dorcha faoin ngrian. Cuid eile againn, éiríonn sé dóite. Ach pé dath atá air, tá craiceann álainn againn ar fad.

Tá go leor cineálacha gruaige ann freisin. Cuid againn, tá gruaig dhubh orainn. Dath donn atá ar ghruaig daoine eile. Tá daoine rua chomh maith ann agus daoine a bhfuil gruaig fhionn orthu. Cuid againn, tá ár gcuid gruaige catach. Cuid eile againn, tá sí díreach. Fásann cuid agáinn ár gcuid gruaige an-fhada, cuid eile againn, bíonn sí gearr againn. Ach is gruaig álainn í ar fad, is cuma cén dath atá uirthi.

Tá dhá shúil ag gach duine. Ach má tá, bíonn súile daoine éagsúla an-difriúil óna chéile. Tá súile móra cruinne ag cuid againn. Tá súile beaga caola ag cuid eile againn. Dath donn atá ar shúile roinnt daoine, dath gorm atá ar shúile daoine eile. Tá daoine eile ann a bhfuil súile glasa acu..

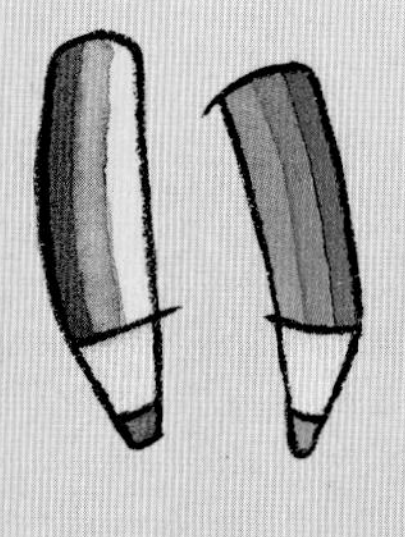

Cathimid ar fad éadaí éagsúla.
Cuid againn, caithimid treabhsar
agus t-léine. Cuid eile againn caithimid
sari. Cuid eile againn caithimid burca.
Coinníonn ár gcuid éadaí te, teolaí muid,
ach chomh maith leis sin, uaireanta
insíonn siad don saol cé muid féin
agus cé as dúinn.

Labhrann daoine éagsúla teangacha éagsúla. Tá Béarla ag go leor daoine. Tá Gaeilge ag daoine eile. Daoine eile, tá Polainnis acu, nó Sínis, nó Portaingéilis nó Fraincis.

Tá daoine ann atá in ann cúpla teanga a labhairt. Daoine eile, níl acu ach teanga amháin. Ach fiú má bhímid ar cuairt ar áit nach dtuigimid teanga na ndaoine ann, tá a fhios ag gach duine céard is brí le meangadh gáire!

Itheann daoine éagsúla cineálacha éagsúla bia. Cuid de na daoine, is maith leo pizza. Is fearr le daoine eile rís a ithe. Prátaí agus feoil a bhíonn ó chuid de na daoine don dinnéar agus daoine eile fós, b'fhearr leo curaí glasraí. Tá go leor cineálacha éagsúla bia ann. Bíonn sé go deas cineál nua bia a

thriail, fiú muna bhfuil cleachtadh againn air.

16-17

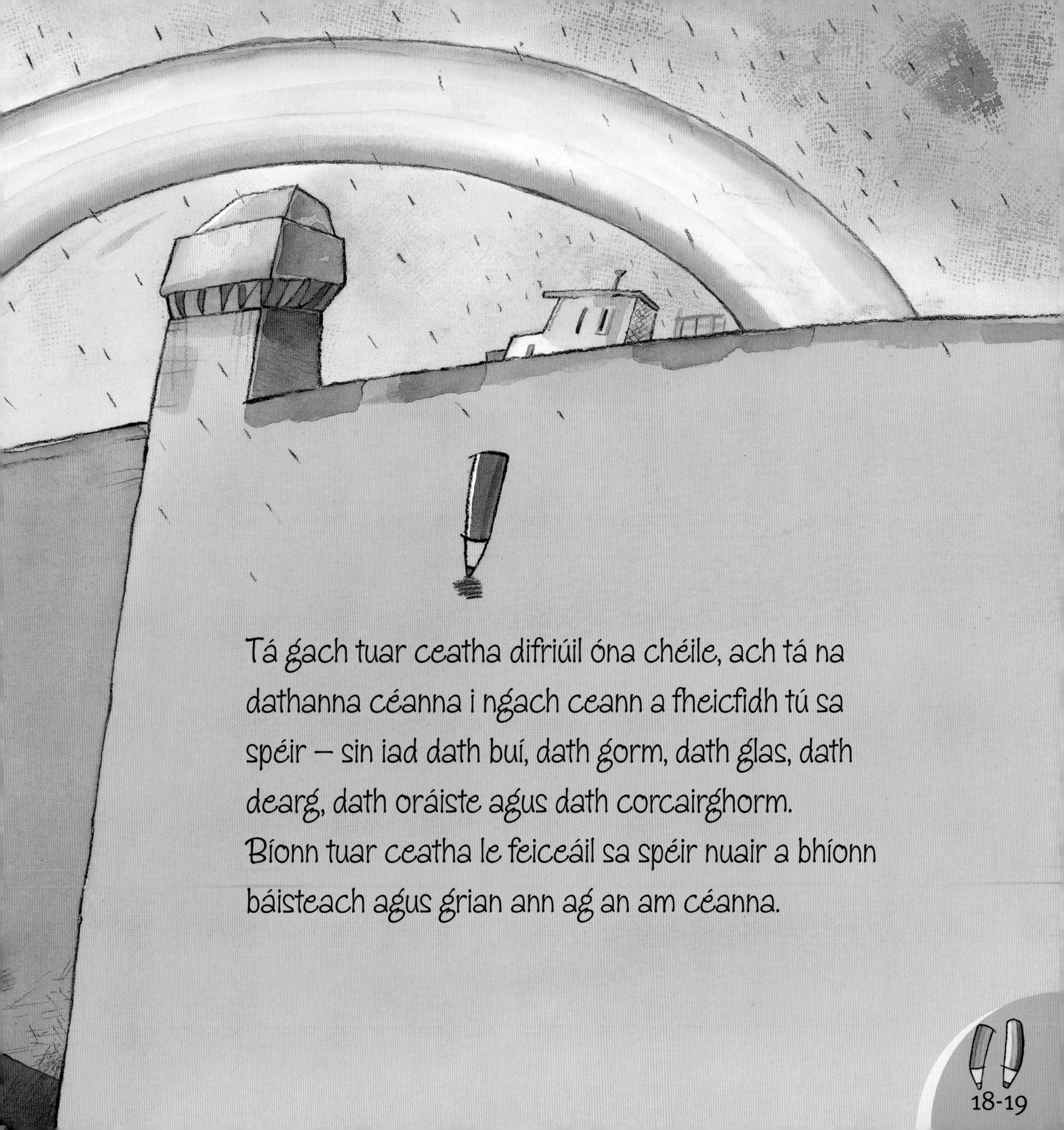

Tá gach tuar ceatha difriúil óna chéile, ach tá na dathanna céanna i ngach ceann a fheicfidh tú sa spéir – sin iad dath buí, dath gorm, dath glas, dath dearg, dath oráiste agus dath corcairghorm.
Bíonn tuar ceatha le feiceáil sa spéir nuair a bhíonn báisteach agus grian ann ag an am céanna.

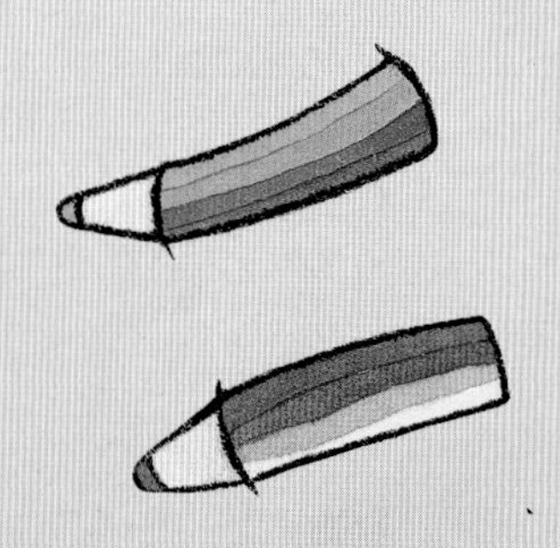

Tá gach duine difriúil óna chéile,
ach táimid ar fad cosúil lena chéile
chomh maith. Bíonn áthas orainn ar
fad uaireanta agus brón uaireanta eile.
Nuair a bhíonn áthas orainn, bímid
ag gáire. Uaireanta, nuair a bhímid
brónach, bímid ag caoineadh. Má
thitimid, bíonn pian orainn. Má bhíonn
brionglóid ghránna, nó tromluí orainn,
bíonn faitíos orainn. Nuair a fhaighimid
gráin ó dhuine éigin speisialta, airímid
grá don duine speisialta sin.

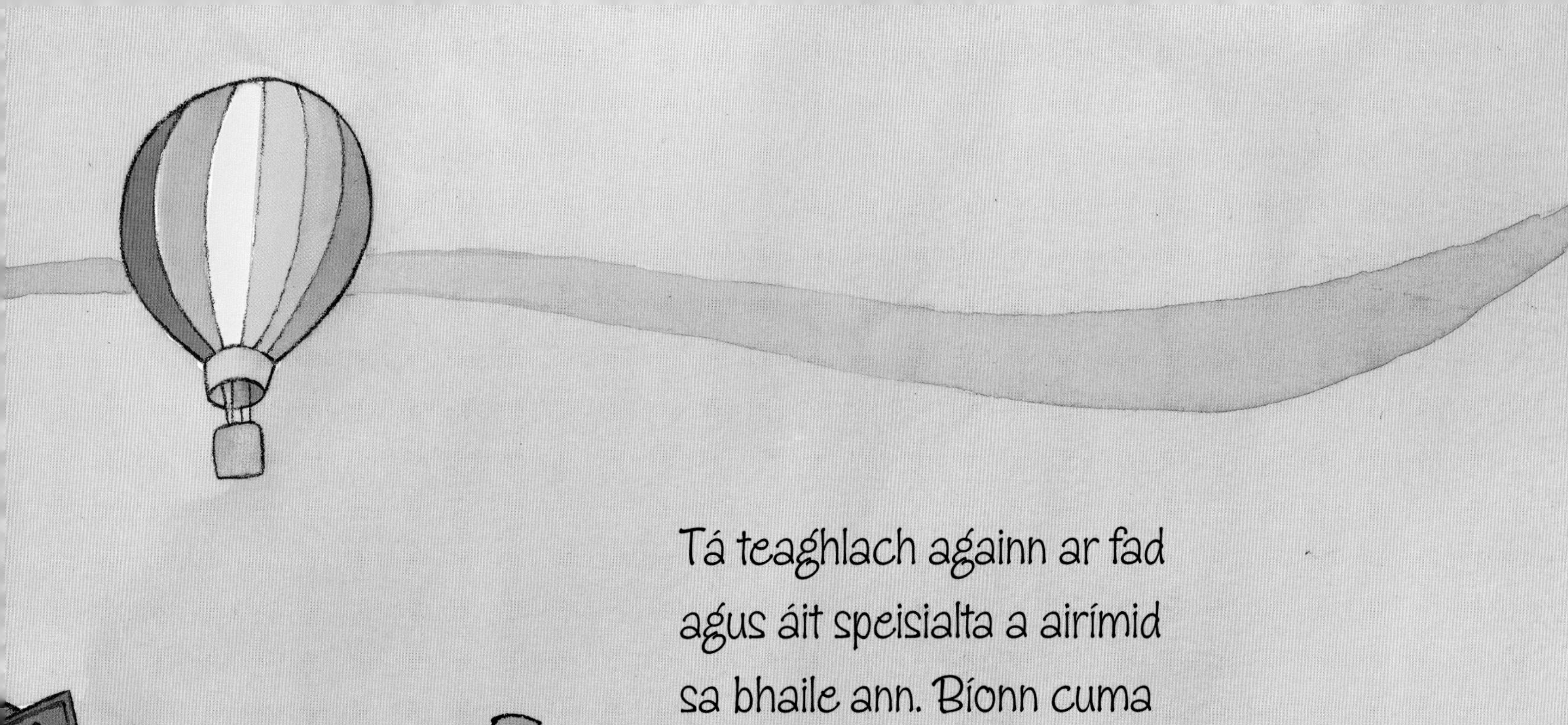

Tá teaghlach againn ar fad agus áit speisialta a airímid sa bhaile ann. Bíonn cuma an-difriúil, uaireanta, ar theaghlach amháin seachas teaghlach eile, ach má tá, tugann ár muintir ar fad grá dúinn.

3
2
1
2
3
4
5
6

Bainimid ar fad taitneamh as am a
chaitheamh lenár gcairde, ag scipeáil,
ag imeacht i bhfolach nó ag imirt peile.
Is cuma cén áit a bhfuil cónaí orainn ann,
táimid ar fad ag iarraidh spraoi agus a bheith
lenár gcairde agus muid ag fás suas.

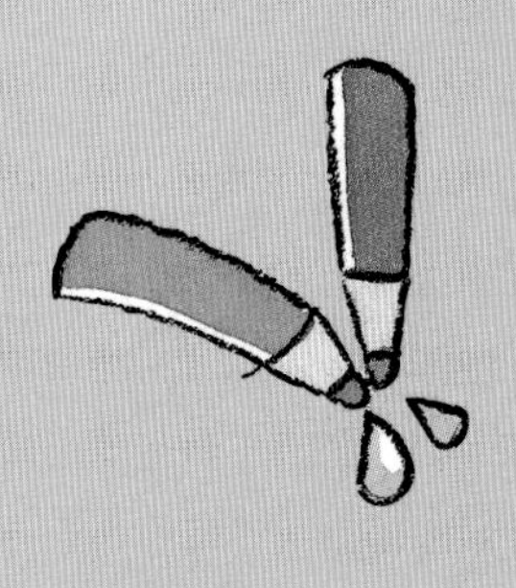

Is maith linn ar fad laethanta speisialta a cheiliúradh, laethanta a thugann ár muintir agus ár gcairde le chéile. Is lá speisialta é lá breithe, cuir i gcás. Lá speisialta é lá Nollag le haghaidh cuid againn. Lá mór é Hannukah do dhaoine eile agus daoine eile fós is é Ramadan an ócáid mhór. Ach pé lá atá speisialta dúinn, tugann sé muid féin agus ár muintir le chéile ar bhealach a dhéanann sona sásta muid.

26-27

Mar a dúramar, tá daoine ar nós tuar ceatha. Tá craiceann againn ar fad agus gruaig agus súile. Caithimid ar fad éadaí. Úsáidimid ar fad teanga chun labhairt lena chéile. Ithimid ar fad bia. Nuair a bhímid gortaithe, bímid brónach. Nuair a bhímid sona sásta, bímid ag gáire. Nuair a bhímid óg, bímid ag smaoineamh ar an am a mbeimid fásta suas. Nuair a bhímid sean, bímid ag smaoineamh ar an uair a bhíomar óg.

Ar bhealach, tá muid an-difriúil óna chéile.
Ar bhealach eile, is mar a chéile muid.
Agus nach mar sin is fearr é?

Nóta
do na daoine fásta

Tá athrú mór tagtha ar an saol le blianta beaga anuas. Tá daoine ó chúlraí éagsúla ag maireachtáil le chéile níos mó ná mar a rinne riamh i stair an chine dhaonna. Tá na daoine éagsúla seo ag teacht le chéile, ag meascadh le chéile, ag tógáil pobal agus ag tógáil a gcuid páistí le chéile.

Mar dhaoine fásta, tuigimidne go bhfuil an-éagsúlacht daoine ann, ach má tá, gur mar a chéile muid ar go leor, leor bealaí.

An aidhm atá le "Gach Dath Faoin Spéir" ná an éagsúlacht iontach atá inár measc a aithint, ach na cosúlachtaí atá eadrainn ar fad mar dhaoine daonna a aithint chomh maith céanna. Má ghlacaimid le daoine eile mar dhaoine daonna, ar nós muid féin ach meas a bheith againn ar na difríochtaí atá eadrainn, tá céim mhór tógtha againn i dtreo pobal a thógáil a mhairfidh le chéile go sona sásta.

Is féidir an leabhar seo a úsáid le comhrá a thosnú idir tú féin agus do pháiste. Tabharfaidh tú deis dó nó di na difríochtaí atá idir daoine éagsúla a thabhairt faoi deara. Ag an am céanna, foghlaimeoidh do pháiste gur mó go mór fada na cosúlachtaí atá eadrainn ar fad ná na difríochtaí.

Is rud dearfach an éagsúlacht atá inár measc sa lá atá inniu ann. Má thagann páistí ar an tuiscint sin agus iad óg, beidh bunchloch an-tábhachtach leagtha do phobal ilghnéitheach, féinmhuiníneach, dearfach sa chéad ghlúin eile, pobal a thuigfidh áilleacht an tuar ceatha.

Jennifer Moore-Mallinos

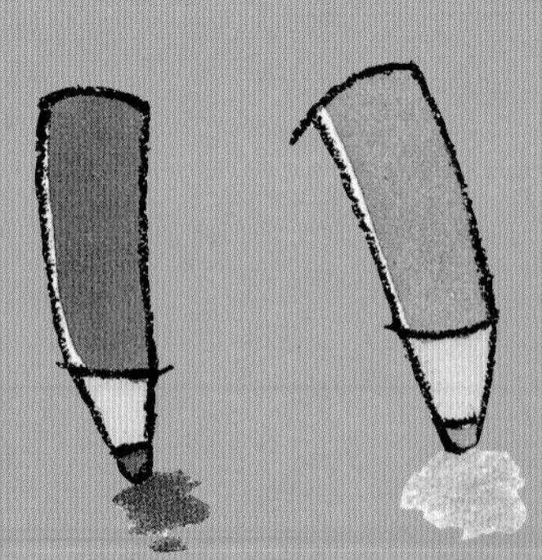

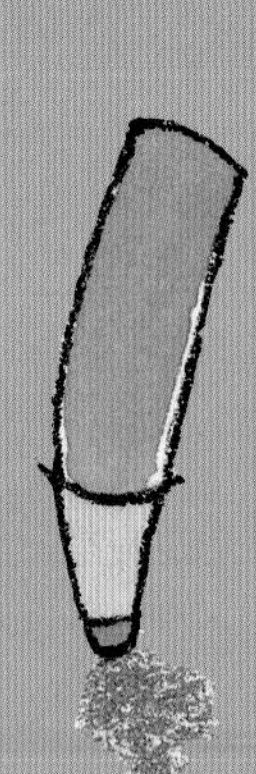
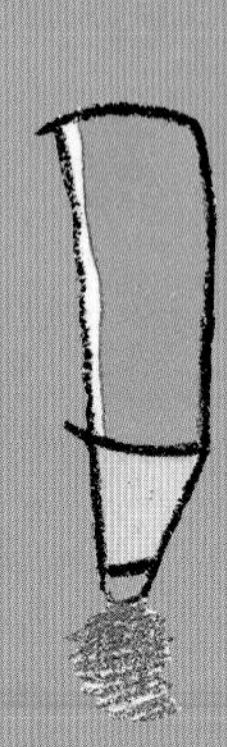

Foilsithe den chéad uair © 2005 ag Gemser Publications S.L.
Barcelona, An Spáinn, faoin teideal "Los Colores del Arc Iris".

Leagan Gaeilge © 2009 Futa Fata – an chéad chló

Clóchur Gaeilge: Anú Design

ISBN: 978-0-9550983-8-3

An Chomhairle um Oideachas
Gaeltachta & Gaelscolaíochta

Gabhann Futa Fata buíochas le COGG – An Chomhairle um Oideachas Gaeltachta agus Gaelscolaíochta as ucht cúnamh airgid a chur ar fáil d'fhoilsiú na sraithe "Bímis ag Caint Faoi".